FJORDLANDET

Kontrastenes rike

THE FJORDS

Norwegian Contrasts

Hilt & Hansteen

Fjordlandet – Kontrastenes rike
The Fjords – Norwegian Contrasts

Copyright 1993 © Hilt & Hansteen a.s.

Billedredaksjon/Picture research:
Rainer Jucker, Pål Hermansen,
Torstein Hilt og Bjørn Hansteen-Fossum

Tekst/Text: Pål Hermansen

Engelsk oversettelse/English translation:
James Wesley Brown
Tysk oversettelse/German translation:
Lo Deufel
Fransk oversettelse/French translation:
Maud Forsgren
Spansk oversettelse/Spanish translation:
Heidi Bern
Japansk oversettelse/Japanese translation:
Hiroko Kimura Hjelset

Forside/Front cover: Pål Hermansen
Morgenlys over den berømte Prekestolen
og Lysefjorden, Rogaland/
Morning over the famous «Pulpit»
(Prekestolen) and Lysefjord, Rogaland

Forsidedesign og lay-out/
Cover design and typography: Rainer Jucker
Sats/Typeset by: Kirkerud Grafisk
Satt på japansk av/
Typeset in Japanese by:
Hiroko Kimura Hjelset
Repro/Reproduction by: Overtrykkeriet

Printed and bound in Norway
by Norbok a.s., Gjøvik

Hilt & Hansteen a.s.
P.O. Box 2040 Grünerløkka
0505 Oslo – Norway

ISBN 82-7413-167-3

FJORDLANDET

Kysten er Norges naturlige innfallsport fra verden omkring. Her møter havet landet, og her har de to elementene eksistert sammen i hundreder av millioner år. Noen ganger i småklukkende fordragelighet, andre ganger i frådende sinne.

Store landmasser har tørnet sammen, kolossale fjell er skjøvet over hverandre. Landet er blitt hevet – og slipt ned igjen av knugende breer og fossende vann. Ikke bare én gang, men gang på gang. Fjell er blitt flyttet til havs, for der mange steder å gjenoppstå som nytt land.

Slik er kystlandet modellert, med både jernhånd og silkehansker. Med stoisk ro har de urgamle fjellene sett landet bli formet, de har voktet over sitt rike gjennom skiftende tider. De har sett sola tenne flammende bål i fjelltoppene når natt blir til dag, millioner av bål er det blitt. De har sett havet vandre inn i landskapet som lange, glitrende bånd mellom steile bergvegger.

Fjellene fikk kjærlighet til landet, og gledet seg over hvordan det golde og kalde riket sakte skiftet ansikt. Etterhvert ble det grønt av hengende bjørker i liene. Buldrende, hvite fosser ble rammet inn av grønn passepartout. Syngende fuglestruper og løpende klover ga liv og røre i landskapet. Senere så fjellene med interesse små glenner i skogen, høyt oppe i skrentene; menneskene hadde oppdaget fjordlandskapets gavmildhet. Der ryddet de gårder og skaffet seg utkomme

Suldalsporten, Ryfyike.

et sted mellom havet og himmelen. Med stigende undring skimtet fjellene til og med små skall som duppet langt der nede med krusete sølvstriper etter seg.

Vestlandets fjordlandskap er selve bildet på norsk natur. Det er villskapens og kontrastenes rike. Høye og steile fjell troner over et smalt og slyngete vannspeil. Som gedigne sting mellom fjord og fjell binder hvite tråder av vann fjellet og havet sammen. I vilter eventyrtrang stuper elvene fra tinder og vidder ned i rutsjende crescendoer, uten fallskjerm eller sikkerhetsnett.

I dette fyrverkeriet av et landskap har også mennesket funnet sin plass. I lune fjordarmer draperer frukttrærne scenen med flamingofarvete blomster i lyse maidager.

Annerledes er bildet av Oslofjorden, som strekker seg blid og mild, rammet inn av myke svaberg og frodige åkre. Lenger nord er også bildet mer variert, fra Midt-Norges myldrende tusenøyers-rike, via Lofotens villskap med himmelstrebende tinder og til Finnmarks bedagelige sjumilsfjorder.

Jo lenger mot nord man beveger seg, jo mer blir fjordlandskapet et redskap for lys og skygge. Sommerstid er fjellene malt i gult og oransje og vannflaten hamret i rødt kobber. Vinterstid hersker det blå, ubestemmelige tusmørket; hav og fjell går i ett og vil ingen ende ta.

«Fantastisk, storslagent,» – superlativene lyder på alle tungemål når det norske fjordlandskapet får besøk. «Klikk,» sier det i kameraene, og så er travle mennesker på vei til neste severdighet.

Men fjellene og fjordene blir værende. Litt saktmodige kanskje. Hører vi et sukk, og et ønske om at noen av disse mange menneskene tar seg tid til å være et døgn sammen med dem? For hva annet lengter de etter å dele med sine gjester enn sjelen i sitt rike?

Pål Hermansen

THE FJORDS

The coast is the natural gateway to Norway for the outside world. It is here the sea meets the land, and it is here these two elements have coexisted for billions of years, sometimes in quiet peace, sometimes in foaming rage. Great land masses have collided; colossal mountains have been shoved over each other. The land has risen, only to be ground down by crushing glaciers and cascading waters; not just once, but time and time again. Mountains have been pushed into the sea, only to rise again as new land somewhere else.

This is how the coastline was formed, with an iron fist and silk gloves. The ancient mountains have stoically watched their land take shape over the changing years. They have seen the sun ignite bonfires on mountain tops when night turns to day. They have seen the sea wander into the landscape like long, shiny ribbons between precipitous rock faces.

The mountains grew to love their land, rejoicing at the way their barren, cold realm slowly changed its features, gradually turning green with the birches perched on their slopes. Roaring white waterfalls were framed in green passepartout. The singing throats of birds and running hooves gave life and movement to the landscape. Later, the mountains discovered with interest small forest clearings high up on their sides; human beings had discovered the generosity of the fjord landscape. Here they established their farms to earn a living somewhere between the sea and sky. With increasing wonder the mountains also saw, far down below, small bobbing shells with curly silver stripes trailing behind.

The fjord landscape of western Norway is the true image of Norway's nature. It is a realm of wild contrasts. Steep, high mountains throne over narrow, winding mirrors of water. White threads of water bind the mountains and the sea together like enormous stitches. In a wild love of adventure, without parachute or safety net, streams dive off peaks and mountain plateaux in rushing crescendi.

Man has also found his place in this fireworks of a landscape. In sheltered fjord-arms, fruit trees decorate the scene with flamingo-coloured blossoms during bright May days.

The picture of the gentle, mild Oslofjord is somewhat different as it stretches past smooth slopes of naked rock and fertile fields. The picture is even more varied farther north, from mid-Norway's teeming island region, past Lofoten's wildness and towering peaks to Finnmark's sober seven-league fjords.

The farther north one goes, the more the fjord country becomes an instrument for light and shade. In the summer the mountains are painted gold and orange and the water surface is a beaten red copper. In the winter an indefinite blue darkness reigns; the sea and the mountains merge endlessly into one.

«Fantastic, magnificent,» – the superlatives are heard in all languages whenever the Norwegian fjord country has visitors. Then the cameras go «click», and busy people rush off on their way to their next sight-seeing stop.

Balholmen, Sogn.

But the mountains and fjords remain where they are – somewhat sad, perhaps. Do we hear a sigh and a wish that some of these people would take the time to spend a whole day with them? For what else do they want to share with their guests but their souls?

DAS FJORDLAND

Die Küste ist Norwegens natürliches Einfallstor für Gäste aus aller Welt. Hier, wo sich Meer und Land begegnen und die beiden Elemente seit aberhundert Millionen Jahren miteinander existierten, mal sanftgluckernd in stillem Einvernehmen, mal geifernd vor Zorn, sind durch den Zusammenprall großer Landmassen kolossale Berge übereinandergeschoben worden. So wurde das Land gehoben – und erneut abgeschliffen von drückend schweren Gletschern und tosenden Gewässern. Ganze Berge wurden ins Meer hinausgeschoben, um sich vielerorts als neues Land wieder aus dem Meer zu erheben.

So wurde die Küstenlandschaft modelliert, von eiserner Hand und doch mit Samthandschuhen. Mit stoischer Ruhe sahen die uralten Berge das Land sich formen und wachten im Wechsel der Zeiten über ihr Reich. Sie sahen die Sonne flammende Feuer auf den Berggipfeln anzünden, wenn die Nacht zum Tag wurde, Millionen solcher Feuer sind es gewesen. Sie sahen das Meer als langes, glitzerndes Band zwischen steilen Bergwänden in diese Landschaft hineinwandern.

Die Berge verliebten sich in dieses Land und freuten sich darüber, wie das kahle, kalte Reich nach und nach sein Gesicht veränderte. Allmählich grünten Hängebirken an den Hainen. Dröhnende, weißschäumende Wasserfälle wurden umrahmt von einem grünen Passepartout. Singende Vogelkehlen und laufende Hufe brachten Leben und Bewegung in die Landschaft. Später bemerkten die Berge mit Interesse kleine Lichtungen im Wald, hoch oben an den Hängen; die Menschen hatten die Freigiebigkeit des Fjordlandes entdeckt, wo sie nun rodeten, Gehöfte anlegten und sich irgendwo dort oben zwischen Himmel und Erde ein Auskommen schufen. Wie staunten aber erst die Berge, als sie schließlich gar der kleinen, weit da unten eingetauchten Schalen gewahr wurden, die gekräuselte Silberstreifen nach sich zogen.

Die westnorwegische Fjordlandschaft ist der Inbegriff norwegischer Natur, das Reich wilder Leidenschaft und Kontraste. Hohe, steile Berge thronen über schmalen, mannigfach gewundenen Wasserspiegeln. Wie gediegene Nähte am Saum zwischen Fjord und Gebirge binden weiße Wasserfäden Berge und Meer zusammen. Erfüllt von unbändigem Abenteuerdrang stürzen Flüsse in anschwellenden Crescendos von Bergzinnen und Hochebenen herab. Entlang windgeschützter Fjordarme zieren Obstbäume mit flamingofarbenen Blüten die von hellen Maientagen belichtete Szene.

Ein ganz anderes Bild zeigt sich am sanft und mild ins Land erstreckten, von nackten Felsen und fruchtbaren Feldern umrahmten Oslofjord, wie auch weiter im Norden, wo das Spektrum der Eindrücke mehr variiert – vom Gewimmel des Tausendinselreichs Mittelnorwegens über die wilden Lofoten mit ihren himmelstrebenden Bergzinnen bis hin zu den bedächtigen Siebenmeilenfjorden der Finnmark.

Je weiter man nach Norden kommt, umso eher wird die Fjordlandschaft zu einem Werkzeug für Licht und Schatten. Zur Sommerzeit kleiden sich die Berge in Gelb und Orange, während die rotschimmernde Wasseroberfläche einem Kupferstich gleicht. Im Winter herrscht das Blau des unbestimmbaren Halbdunkels; Meer und Berge sind eins und wollen kein Ende nehmen.

«Fantastisch! Großartig!» Superlative ertönen in allen Zungenschlägen, wenn die norwegische Fjordküste Besuch bekommt. «Klikk,» sagen die Kameras, und schon sind geschäftige Menschen wieder unterwegs zur nächsten Sehenswürdigkeit.

Die Berge und Fjorde hingegen bleiben. Etwas wehmütig vielleicht? Vernehmen wir da nicht ein Seufzen und den sehnsüchtigen Wunsch, von all den vielen Menschen möchten sich ein paar doch mal Zeit nehmen, um einen Tag mit ihnen gemeinsam zu verbringen? Denn wonach sollten sie sich sonst sehnen, was sonst würden sie ihren Gästen gern vermitteln, wenn nicht die Seele ihres Reichs?

PAYS DE FJORDS

La côte de Norvège est la voie d'accès naturelle quand on vient d'ailleurs. C'est là que se rencontrent la terre et la mer. C'est là que coexistent ces deux éléments depuis des centaines de millions d'années: parfois c'est la connivence, les doux clapotis, d'autres fois c'est la colère, l'écume furieuse. D'immenses pans de terre se sont entrechoqués, des montagnes colossales se sont trouvées empilées. Tout le pays s'est vu haussé avant d'être raboté, nivelé par les eaux écumantes et les glaciers à l'étreinte implacable. Ce phénomène s'est produit d'innombrables fois. La montagne a pris le chemin de la mer pour ressurgir en bien des endroits, terre neuve, terre nouvelle.

C'est ainsi qu'a été modelée cette région côtière, par une main de fer dans un gant de velours. C'est avec une sérénité toute stoïcienne que les montagnes ancestrales ont vu se former ce pays, elles ont veillé sur leur royaume au fil des saisons et des transformations. Elles ont vu le soleil allumer ses feux sur les hauts sommets quand la nuit se fait jour: elles ont pu ainsi assister à des millions d'embrasements. Elles ont vu la mer enfoncer ses longs doigts luisants dans le paysage, entre les abruptes parois.

Les montagnes se sont prises d'amour pour ce coin de Norvège et se sont réjouies de voir ces terres froides et arides progressivement changer de visage. Peu à peu les flancs des montagnes se sont couverts de verts bouleaux. De bruyantes cascades, blanches d'écume, ont trouvé leur place dans ce cadre de verdure. Des chants d'oiseaux et des piétinements de sabots ont donné vie à ce paysage. Par la suite les montagnes ont vu avec intérêt se creuser de petites clairiéres dans les bois en haut des pentes; les hommes venaient de découvrir la générosité de la terre des fjords. Ils se mirent à défricher et purent ainsi assurer leur subsistance quelque part entre mer et ciel. C'est avec un étonnement croissant que les montagnes pouvaient maintenant distinguer tout en bas de petites coquilles qui flottaient en laissant derrière elles un sillage d'argent.

La région des fjords à l'ouest de la Norvège représente la nature par excellence. C'est un domaine sauvage, farouche, le royaume des contrastes. De hautes montagnes escarpées dominent un plan d'eau étroit et tortueux. Tels de gigantesques points cousus entre fjord et paroi abrupte les fils blancs de l'eau unissent la montagne et la mer. Mus par un goût prononcé de l'aventure, les torrents turbulents se jettent du haut des cimes et des plateaux. Par les beaux jours de mai, dans la tiédeur des bras de fjords, les arbres fruitiers parent le décor de fleurs qui empruntent leurs couleurs aux flamants roses.

Bien différent est le fjord d'Oslo, si débonnaire et avenant avec ses rochers lisses et ses champs fertiles. Plus au nord la variation est plus grande: on va du palpitant royaume des mille îles en plein coeur de la Norvège aux paisibles fjords de sept lieues dans le Finnmark, en passant par les sauvages îles Lofoten dont les cimes se haussent jusqu'au ciel.

Plus on monte vers le nord, plus les fjords se font le refuge de l'ombre et de la lumière. L'été les montagnes s'habillent de jaune et d'orange, et la surface des eaux est constellée de cuivre rouge. L'hiver, règne le crépuscule au bleu indéfinissable. La mer et la montagne ne font qu'un, indéfiniment.

«Grandiose, sublime», les termes élogieux se font entendre dans toutes langues quand les fjords de Norvège accueillent les touristes. «Clic-clac», disent les appareils-photos, et puis c'est «Au suivant» pour tous ces gens pressés.

Mais les montagnes et les fjords, eux, ne bougent pas. Ils soupirent peut-être, pleins de compassion, et souhaitent voir quelques uns de ces nombreux visiteurs prendre le temps de passer toute une journée en leur compagnie. Car ils n'aspirent à rien d'autre qu'à leur donner un peu de leur âme.

LA TIERRA DE LOS FIORDOS

La costa es el punto de acceso natural a Noruega desde el mundo exterior. Aquí se encuentran la tierra con el mar; llevan cientos de millones de años existiendo juntos los dos elementos durante millones de centenarios. A veces en simpatía jocosa, otras espumajeando de ira. Grandes tierras se han chocado, inmensas montañas han sido deslizadas y empujadas. La tierra se ha elevado, pero de nuevo ha bajado; pulida por glaciares pesados y agua que corre velozmente. No una sola vez, sino de nuevo – y de nuevo. Montañas han sido desplazadas al mar, para luego resucitar como nueva tierra.

De tal modo está formado el litoral, tratado tanto con guante blanco como con mano dura. Guardando tranquilidad estóica han visto las antiquísimas montañas que se formaba la tierra, han vigilado su reino durante tiempos cambiantes. Han visto el sol encender lumbres llameantes en los picos de las montañas al convertirse la noche en día, millones y millones de lumbres se han encendido. Han visto el mar penetrar en el paisaje como largos lazos brillantes entre despeñaderos abruptos.

La tierra enamoraba a las montañas, y les produjo alegría cuando el reino desierto y frío poco a poco iba cambiando el rostro. Los valles se hacían verdes por los abedules pendientes en los despeñadores. Ruidosas, blancas cataratas fueron enmarcadas por un verde completo. Picos de pájaros cantantes y corrientes pizuñas otorgaron alboroto vital al paisaje. Luego divisaron las montañas con interés pequeños claros en el bosque; los hombres habían descubierto la generosidad de la tierra de los fiordos. Allanaban terrenos, construían fincas, buscaban entradas entre el mar y el cielo. Con asombro podían contemplar las montañas hasta pequeños cáscaros cabeceando allá en la profundidad, dejando atrás lazos crespos de estela de plata.

El paisaje de los fiordos de la costa occidental es la viva imagen de la Naturaleza Noruega. Es el reino de la ferocidad y los contrastes. Montes altos y empinados forman tronos sobre un estrecho y curvado espejo de agua. Como inmensas puntadas entre fiordo y montaña enlazan los hilos blancos de agua las montañas con el mar. Con traviesa alma de aventurero se tiran los ríos desde cimas y altiplanicies, se deslizan en crescendos, sin paracaídas ni red de seguridad.

En este paisaje salvaje, el hombre también ha encontrado su lugar. A los tibios brazos del mar los árboles frutales cubren el escenario con colgaduras de flores de color flamenco durante los días claros de mayo.

Diferente se ve la imagen del fiordo de Oslo, que se extiende risueño y bonachón, enmarcado por suaves rocas vivas y exhuberantes terrenos cultivados. Más al norte la imagen está más variada, desde la muchedumbre de las miles islas de Noruega central, vía al frenesí de Lofoten con sus picos montañeses titánicos, hasta los despaciosos y gigantescos fiordos de Finnmark.

Cuanto más al norte se desplaza, cuanto más se convierte la tierra en un medio de sombra y luz. Durante el verano las montañas están pintadas de amarillo y naranjo, y el superficie del agua está elaborado de rojo cobre. Durante el invierno reina el indefinible azul del crepúsculo; la tierra y el mar se unen, y no tienen final.

«Estupendo, magnífico» – suenan los superlativos en todas las lenguas cuando la tierra noruega tiene visita. «Clic» suenan las cámaras fotográficas, y se apresura la gente ya en el camino hacia otra atracción.

Mas las montañas y los fiordos se quedan. Un poco melancólicos tal vez. ¿Se puede escuchar un suspiro, y un deseo de que una de esas tantas personas se tomen el tiempo para pasar con ellos un día entero? No hay cosa que más añoran que el compartir con sus visitantes el alma de su reino.

フィヨルド地方

世界への玄関口、ノルウェーの沿岸。この海岸で、ある時は親しく平穏に、時には怒り狂い、陸地と海との出会いが何千万年となくくりかえされてきた。地盤がくずれ落ち、巨大な岩盤が押されて地層となり、もり上がった陸地が鋭い氷河や泡立つ流水に幾度となく削られ、海に押し出された山は新しい陸地として再生した。

大地の形成は、時にはやさしく又きびしく、大自然の手によりなされた。移りゆく時と変化し形成される大地とを、不動の静けさを保ちながら、原始の山々はじっとそれを見守ってきた。夜が昼に変わる時期には、山上に輝く太陽が何百万もの炎を燃やすのも見たし、険しく急な岩山の間に海が入り込み、長い帯状のきらめくフィヨルドを形成するのも見てきた。

山はすべてを暖かく見守り、不毛な冷たい大地の表情が徐々に変化していくのを心待ちにしていた。丘の白樺も緑となり、白く泡立つ滝も緑の枠で縁取られるようになり、鳥のさえずりと走るひづめで風景が活気づいた。その後、山は森の中や崖ぶちに開墾地を見つけた。フィヨルドの自然にもやさしさや豊かさを見出だした人間は、天と海との中間に、木を切出し開拓して農場を営むようになった。銀色の波のベルトをあとにひきつつ、水に浮かんで上下する小さな貝殻のような小船をかいま見た山は、驚嘆の想いがつのるのをかくせなかった。

ノルウェーの自然の本質ともいうべき、ワイルドな自然とコントラストにみちた世界：西海岸のフィヨルド地方。フィヨルドと山、山と海とを、あたかも白い糸で縫ったように水流がつないでいる。輝く鏡のような細長い河が曲りくねり、その両側

Espelandsfoss ved Odda, Hardanger.

に山々が王冠の如くそそり立ち、山頂や高原から大量の水が 泡をたてて垂直に流れ落ちる。

人間はこの多様な地形の中に安住の地を見出した。温暖なフィヨルドの入江では、果樹園に咲きみだれる花で、明るい五月には景色全体がフラミンゴ色に染められる。

ノルウェーの地形は、北上するにつれ多様化する。豊かな農地に囲まれ、なだらかな岩の小島が散在する、温暖で長いオスロ・フィヨルド。何千もの島々が群がる中部ノルウェー。万年雪の冠をかぶり天にむかってそそりたつ山々やワイルドな自然の待つ北部のロフォーテン地方。長くゆったりとしてのどかなフィヨルドのある、最北部のフィンマルク地方等...。

フィヨルド風景では、北に行けば行くほど、光と影が主役となる。夏の間、山々は黄金色とオレンジ色に塗られ、水面は赤銅でたたきつけらる。冬には、すべてが闇とブルーになり、境界も終りもないはっきりしない淡いトーンの中に、海も山も融合してしまう。

「すばらしい！壮大だ！」と外国からの旅行客は叫び、賛嘆の言葉をフィヨルドに与える。だが、彼等はカメラの音をパチパチさせたあと、忙しげにすぐ次の観光地へと、急ぎ去って行く。

不動にして沈黙を守る、山とフィヨルド。だが、内心は少し悲しく、ためいきをついているのかもしれない。あわただしく立ち去る彼等に、もう一日でも滞在して、しっかりと本質を見てもらいたかったのではなかろうか。大自然が本当に我々に理解してもらいたいものは、何よりもその「魂」なのだから。

（文：ポール・ヘルマンセン，日本語：木村博子）

Norges kystlinje strekker seg som en 21 112 km lang, buktende sjøorm langt vest og nord i havet, et sammenhengende drama av brytninger mellom vannet og landet. Den møter havhesten som seiler inn over landet fra isødet i nord. Den møter oss med iltre, hvileløse lysblink gjennom januarskumringen på Måløy langt vest. Den møter skipsføreren som en rykende kald januardag seiler opp gjennom Oslofjorden i sør.

14

Norway's 13 121 mile long coastline stretches out into the sea far to the west and north like a long, coiled sea serpent, in a continous conflict between sea and land. It greets the fulmar petrel as it glides in towards land from the northern Arctic wastes. It greets us with angry, restless flashes of light through the January twilight at Måløy in the far west. In the south it greets the master of a ship as he sails up the Oslofjord on a bitter, cold day in January.

16

Kystlinjen er et tema med utallige variasjoner. Landet er knadd og eltet, slått og pint, knuget og slipt. Ved Hankø i Oslofjorden glir myke svaberg ned i havet, mens det sannelig spirer og gror nye steiner nord i Vesterålen!

The coast is a theme with countless variations. The land has been kneaded, struck and tortured, pressed and ground. At Hankø, on the Oslofjord, soft slopes of naked rock glide down into the sea, whereas new stones virtually sprout and grow up north in Vesterålen!

19

Der havet anser seg ferdig med sin del av jobben, gjør Livet utrettelige forsøk på å erobre nye skanser. Skulptørens hundremillioner-års-arbeid blir forskjønnet av de sarteste kreasjoner. Hvorfor ikke legge en gul fargeklatt med bitterberg-knapp der brevannet førte sine steinslaver i djevelsk runddans i før-kristen tid? Eller hva med et vegg-til-vegg-teppe av transparente engstorkenebb mellom steinkolossene?

There where the sea considers its job completed, Life tirelessly attempts to conquer new territory. The hundred million year-old sculpture is embellished with the most delicate of creations. Why not add a dash of colour by placing a yellow stonecrop there where glacial waters forced their stone slaves to dance dervish dances in pagan times? Or what about placing a wall-to-wall carpet of transparent meadow cranesbills between the stone colossi?

Det er mye vær på kysten, og det farer fort forbi. På de ytterste, nakne holmene på Trøndelags-kysten levnes det ikke store sjanser til livsutfoldelse, mens bergsprekkene ytterst i Oslofjorden huser noen enslige furutroll som sender sjelen på vandring i månenatten.

*T*he weather is rough along the coast and changes quickly. There is not much chance for life to develop on the outer-most, naked islets of the Trøndelag coast, but the stoney crags at the far-end of the Oslofjord shelter a few lonely dwarf pines that cause the soul to wander off into the moonlight.

Menneskene langs kysten har fra sitt inntog til Norge for 10 000 år siden vært prisgitt havet – på godt og ondt. Havet var spiskammers og transportvei, men også en lunefull mannedreper.

Ever since they arrived in Norway some 10 000 years ago, the people along the coast have been at the mercy of the sea – for good and bad. The sea has been their larder and waterway as well as a capricous killer of men.

I dag har stålkolosser med brølende bølinger av dieselhester fortrengt lydløse, duppende treskrog med vinden som følgesvenn. Nesten. For ennå fins det entusiaster som holder stand mot de nye tider. Derfor er det fremdeles mulig å støte på geitbåter fra Møre i juliskodde på Trøndelags-kysten.

Today steel giants with roaring diesel engines have supplanted silent, bobbing wooden hulls that had the wind as companion. But not quite, for there are still enthusiasts who hold their own against these new times. It is still possible, therefore, to encounter old-time fishing boats from Møre in the July mists along the Trøndelag coast.

26

Kystfiskerne lever et hardt og farefullt liv.
Timene blir lange, fingrene kalde og fortjenesten skral.
Gamle er de, de få som ennå holder stand. De unge står heller om bord på trålerne, de moderne havstøvsugerne.

*Coastal fishermen lead hard dangerous lives.
The hours are long, their fingers cold and earnings small.
Those who are still holding out are old. The younger generation prefers to work on trawlers, those modern, ocean going vacuum cleaners.*

Kysten er ingen front mot havet. Utallige steder slipper vannet innover i landet. Mor Norge ligger der som en blekksprut med lange armer av hav inn mot sitt hjerte. La oss reise inn i disse vannveiene, inn i et rike som er mer dramatisk og mer overveldende enn noe annet i Skaperens norske utstillingsvindu.

→

The coast is no barrier to the sea. Water penetrates the land at countless places. Mother Norway lies there like an octopus, with long arms of the sea stretching into her heart. Let us enter these waterways, ploughing through the glassy water into a realm that is more dramatic and more overwhelming than any other in Our Creator's Norwegian display window.

Høye fjell tårner seg over smale og slyngete vannspeil. Urgamle fjell som i millioner av år har voktet over sitt rike, har sett det bli meislet ut av is og vann, og har fulgt med i livets utfoldelse og menneskenes gjøremål. Teppet trekkes fra, ulldottene løser seg opp og blottlegger dramatiske dimensjoner over Norangsfjorden og turistslageren Geiranger.

High mountains loom over narrow, winding, mirror-like waters. For millions of years these ancient mountains have guarded their kingdom, watching as it was carved out by ice and water. They have also observed the development of life and human activity. The curtain goes up, woolly mists evaporate, revealing the dramatic majesty of the Norangsfjord and Geiranger, so popular with tourists.

Stadig åpenbares nye dimensjoner. Vannet blir et speil som snur verden på hodet. Mennesker blir til maur, og stolte farkoster blir til duppende skall som knapt synes som støvkorn på universets brilleglass. En utflukt til Prekestolen over Lysefjorden er glimrende medisin for mennesker som tror de er noe stort her i verden.

New vistas are constantly revealed. The water becomes a mirror that turns the world upside down. People become ants and proud vessels become bobbing shells, mere motes of dust on the eyeglass of the universe. A trip to Prekestolen above the Lysefjord is an excellent cure for people that think that they have an important role to play here on earth.

34

Aurlandsfjorden, en natursymfoni med mange satser. Den rolige satsen hvor landskapet kommer glimtvis fram gjennom morgendisen, den majestetiske hvor lysflekkene danser over scenen og følger menneskenes fåfengte forsøk på å sette spor etter seg, og den dramatiske satsen hvor elementene tramper i klaveret og får trommeslagene til å hvirvle gjennom luften.

The Aurlandsfjord is a nature symphony with many movements. A calm movement, when the landscape gleams through the morning mists, a majestic movement, when the glittering rays dance across the stage, following man's vain attempts to make his mark, and a dramatic movement, when the elements break loose, whirling drumbeats through the air.

Mellom dramatikk og gol-
de fjell er lyse og
vennlige oaser, lune idyller
som strutter av liv når
solstrålene sprenger
regnbygene fra hverandre.
Grønt løv glinser i gul
kveldssol og danner sammen
med revebjellenes signalrøde
perlekjeder veritable trafikklys
i liene.

*In between dramatic, bar-
ren mountains are
bright, friendly oases, sheltered
idylls bursting with life when
sunbeams dissipate the rain
clouds. Green leaves shine in
the yellow evening sun,
creating with the bright red
beads of the foxglove veritable
traffic lights on the hillsides.*

37

38

Innimellom blir linjene slake og duvende, og gir tid til ettertanke og refleksjon. Vinterdrakten drysser i det ene øyeblikket ned over Åkrafjorden, mens sola i det andre bader i gullbassenget i Trondheimsfjorden.

Now and then the lines become gentle and rolling, providing time for reflection. At one moment snow sifts down on the Åkrafjord, while at another the sun bathes in the golden basin of the Trondheimsfjord.

40

41

Så bukter landskapet seg igjen, i runde og innbydende former. Mektig og imponerende prøver det å fremstå, ved å brette seg ut i dobbelt høyde. Dette er såvisst ikke noe A4-fjell!

Then once again the landscape indents with round, attractive shapes. It tries to show off by rising to double its height. This is certainly no postage stamp mountain!

Det lukter grønt i liene. Og se, mellom grønne bregner og mosegrodde, hundreårsgamle lindeskulpturer aner vi spor etter menneskene. Kvernhus, beitehager og gressbakker bærer bud om harde menneskeskjebner i stupbratte lier, klemt mellom truende fjell og klukkende saltvannsbølger.

The smell of greenery is in the air. And lo, in between green ferns and mossy, century-old linden sculptures, we can discern traces of human activity. Mills and pastures bear witness to hard lives on precipitous . slopes, situated between threatening peaks and roaring waves.

Faktisk er de her ennå, menneskene. Rundt veiløse husklynger midtveis mellom himmel og hav krafser ljåene mot saftig gress. «De gamle er eldst og tar tunge tak.» Etter hard innsats er det godt å hvile velbrukte muskler for en stakket stund.

As a matter of fact, people still live here. Scythes cut the juicy grass around a cluster of houses somewhere between the sky and the sea. «The old ones wear best and bear heavy loads.» Well-worn muscles enjoy a short rest after some tiring work.

46

*S*nart vokser hesjene
frem som meitemarker
på smale jordlapper. De
balanserer mot avgrunnen og
venter på at regnbygene skal
drives vekk over det viltre,
uryddige landskapet.

*H*ay-drying wires creep
across the narrow
fields like earthworms. They
balance above the abyss,
waiting for the rainclouds to be
driven away from the wild,
disorderly landscape.

Langt inne i fjordene, som
her ved Olden,
blir bakkene slakere og
gårdene større. Ungdommen
vender hjem til heimgarden
og alle hjelper alle i travle
slåttonntider. Hvor mange
som kommer til å bli boende
i neste generasjon, vet ingen.

*Far inside the fjords the hills
become gentler and
the farms larger, such as here,
at Olden. The young people
return home to the farm and
everybody helps everybody else
in the busy haymaking season.
But no one knows how many of
the next generation will
continue to live here.*

H øyt hevet over gårdene ligger stølene, i stup-bratte fjellveggen. Dit går stier så bratte at bare innfødte «fjellgeiter» ikke kjenner svimmelheten. Idag står de fleste stølene tomme.

Den gamle generasjonen bruker sommeren til å tenke på vinteren. «Veden varmer to ganger,» sier ordspråket, «både når du hugger den, og når du brenner den.»

S ummer pasture huts perch far above the farms on precipitous rock walls. The paths that lead up to them are so steep that only native born «mountain goats» do not feel dizzy. Today most

of these huts are empty. The older generation uses the summer to think about winter. «Wood warms twice,» says the adage. «Once when you chop it, and then when you burn it.»

Harmonien er full-
kommen. Er det
slik det ser ut i Paradis?

Perfect harmony.
Can this be
what Paradise looks like?

$\longrightarrow$

Over menneskenes sfære boltrer naturkreftene seg. Lange tråder med vann tordner ned langs glattskurte fjellsider, syr fjellet sammen med havet i store kast. Ikke rart den heter Langfoss, den vanntråden som fyker ned i Åkrafjorden.

The powers of nature really enjoy themselves far above the world of men. Long threads of water thunder down smooth, precipitous mountain sides, basting together with large stitches the mountain and the sea. No wonder this thread of water that roars down into the Åkrafjord is called Langfoss (i.e. «Long Waterfall»).

S å blir landskapet blidere
igjen. Nærøyfjordens
snille åsyn smiler mot
besøkeren, og vårveien innbyr
til koselige vandringer.

*O nce again the landscape
becomes gentle. The
Nærøyfjord smiles on the
visitor, and inviting spring
paths promise pleasant walks.*

Kampen for tilværelsen
har alltid vært hard
for både liten og stor i
fjordlandet. Det gjelder å
kjempe med naturen – og
ikke mot den. Under Helleren
i Jøssingfjord har menneskene
levd lunt og beskyttet siden
steinalderen, mens
strandbalderbrå og
strandnellik har fått
tilfredsstilt sine livsvilkår i
sprekkene på svaberget.

*The struggle for survival has
always been strenous for
both big and small in the fjord
country. It is a question of
fighting with nature – not
against it. At Helleren on the
Jøssingfjord, people have lived
sheltered lives since the stone
age, while the sea camomile
and armeria have found
favourable living conditions in
the chinks
of a rock face.*

60

Så nærmer reisen seg slutten. Furebergfossen i Mauranger tar et drønnende farvel, mens vi lister oss ut på frodige enger.

And so our journey nears its end. The Furebergfoss in Mauranger takes a booming farewell as we walk softly out on to luxuriant meadows.

S jelden har mennesket
  nådd større høyder som
landskapsarkitekt enn når
fruktblomstene åpner seg
mellom snødekte vårfjell og
stemmer sitt flerstemte kor.
Er dette menneskets versjon
av Edens have?

*M an has seldom reached
  such great heights as
landscape architect as in the
spring when his fruit trees
blossom between snow-clad
mountains and tune in with
their mixed choir. Is this man's
version of The Garden of Eden?*

Fotografiene i denne boken er levert
av følgende fotografer/
The pictures in this book were taken by
the following photographers:

Forside/Front cover: Pål Hermansen
Bakside/Back cover: Per Haukeland
  4-5   *Pål Hermansen*
    9   *Leif Rustad © Samfoto*
12-13   *Pål Hermansen © Samfoto*
   14   *øverst/top Pål Hermansen © Samfoto*
          nederst/bottom Pål Hermansen © Samfoto
   15   *Pål Hermansen © Samfoto*
   16   *Helge Eek © Samfoto*
   17   *Pål Hermansen*
   18   *Bård Løken*
   19   *venstre/left Pål Hermansen © Samfoto*
          høyre/right Pål Hermansen © Samfoto
   20   *Tore Wuttudal © Samfoto*
   21   *Jørn Bøhmer Olsen © Samfoto*
   22   *Jon Arne Sæter*
   23   *øverst/top Per Haukeland,*
          nederst/bottom Rainer Jucker
   24   *øverst/top Rainer Jucker,*
          nederst/bottom Pål Hermansen
   25   *Jon Arne Sæter*
   26   *Jon Arne Sæter*
   27   *Per Haukeland*
28-29   *Pål Hermansen © Samfoto*
   30   *Kim Hart © Samfoto*
   31   *Pål Hermansen © Samfoto*
   32   *Max Galli © Look*
   33   *Pål Hermansen © Samfoto*
   34   *Pål Hermansen*

   35   *venstre/left Pål Hermansen,*
          høyre/right Max Galli © Look
36-37   *Pål Hermansen*
   38   *Stig Tronvold © Samfoto*
   39   *Jon Arne Sæter*
   40   *Tore Arne Wuttudal © Samfoto*
   41   *Pål Bugge*
   42   *Ragnar Frislid © Samfoto*
   43   *øverst/top Per Haukeland,*
          nederst/bottom Pål Hermansen
44-45   *Per Haukeland*
   46   *Kim Hart © Samfoto*
   47   *Per Haukeland*
   48   *Pål Hermansen © Samfoto*
   49   *Per Haukeland*
   50   *Per Haukeland*
   51   *Asle Hjellbrekke © Samfoto*
52-53   *Klaus Bossemeyer © Bilderberg*
   54   *Ragnar Frislid © Samfoto*
   55   *Rainer Jucker*
   56   *Gunnar Gundersen © Samfoto*
   57   *Per Haukeland*
   58   *Pål Hermansen*
   59   *venstre/left Pål Hermansen,*
          høyre/right Pål Hermansen © Samfoto
   60   *Urpo Tarnanen*
   61   *Pål Bugge*
   62   *Stig Tronvold © Samfoto*
   63   *Pål Hermansen © Samfoto*